누구나 **그림으로** 쉽게 이해하는

속눈썹
연장
가이드북

BYMIN

누구나 그림으로 쉽게 이해하는 속눈썹 연장 가이드북

발   행 | 2024. 03. 03

저   자 | 김민정

펴 낸 이 | 김민정

펴 낸 곳 | 바이민 BYMIN

출 판 등 록 | 2024.01.19.(제2024-000020호)

주   소 | 성남시 분당구 서현로 170 풍림아이원플러스 B동 2423호

이 메 일 | bymin3256@naver.com

I S B N | 979 - 11 - 986442 - 1 - 3

누구나 **그림으로** 쉽게 이해하는

속눈썹
연장
가이드북

✦ Author Profile

김민정 KIM MIN JUNG

바이민 대표

前. 한국속눈썹협회 분당 지회장
前. 한국 미용직업교육협회 인증 강사
現. 바이민 대표

✦ Technology

[2019. 05 특허 제 10-1981611호] '횡방향 테이핑을 활용한 아이래쉬 미용 방법' 속눈썹 연장 기술 특허 출원 및 등록

✦ License

- ISO/IEC 17024 국제 표준 속눈썹 연장 아티스트 지도자 자격 획득
- (미용사) 피부 국가자격증
- (미용사) 네일 국가자격증
- ITF 국제트리콜리지스트연맹 TRICHOLOGIST 1급 자격증
- KSHI 영국 TTS의 한국두피모발연구학회 TRICHOLOGIST 2급 자격증
- BICA 국제미용협동조합 방과후미용교육강사 자격증
- 퍼스널 컬러 전문가 과정 수료
- IAA 국제 아로마협회 아로마전문가 2급 자격증
- 생활 아로마 전문가 1급 이수

✦ Experience

- **2007. 07**   리본 속눈썹 샵 OPEN

- **2011. 10**   바이민 속눈썹 샵 OPEN

- **2015. 06**   마이살롱 속눈썹 샵 OPEN

- **2018. 07**   바이민 속눈썹 샵 OPEN

- **2018. 10**   2018 KOBC 한국미용기능경기대회 속눈썹 부문 심사위원

- **2018. 12**   KBEI 최고경영자 대상 수상

- **2019. 03**   중국 청도 미용박람회 초청 강의

- **2019. 05**   제 15회 IBSC 국제미용기능경기대회 속눈썹아트 심사위원

- **2019. 05**   바이민 기법 기술특허 등록

- **2019. 10**   KOBC 한국미용기능 경기대회 속눈썹 부문 심사위원

- **2019. 11**   서정대학교 뷰티학과 초청강의

- **2019. 12**   KEBI 최고지도자 대상 수상

✦ Contact

WEB: WWW.BEAUTYBYMIN.COM

INSTAGRAM: @BEAUTY_BYMIN_

KAKAO: BYMIN1204

BLOG   SMART STORE   INSTAGRAM

✦ Index

01 속눈썹의 정의

✦ **속눈썹**

눈꺼풀 가장자리에서 자라는 가늘고 짧은 털로 위 눈꺼풀에 약 100~150개와 아래 눈꺼풀에 약 70~80개에 위치한다.
곡선 패턴으로 배열되며 눈꺼풀 중앙에 가장 긴 털이 있다.

✦ **속눈썹의 기능**

 보호
땀, 먼지 등의 이물질,
빛으로부터 눈을 보호한다.

 배출
먼지나 아연,수은 비소 등의
중금속을 눈 밖으로 배출한다.

 보습
눈의 표면에서 수분이 증발하는 것을
방지하는 역할을 하여 눈의 수분을
유지하는 데 도움을 준다.

 장식
속눈썹은 눈을 아름답게 연출하기 위해
마스카라 또는 인조 속눈썹을 사용
하거나 연장이나 펌 시술을 받기도 한다.

02 속눈썹과 눈의 이해

1. 눈의 구조와 기능 눈은 인체에서 가장 중요한 감각기관 중 하나이며, 시각 정보를 인지하고 뇌로 전달하는 역할을 한다. 눈은 외부와 내부로 구분할 수 있다.

눈의 외부구조

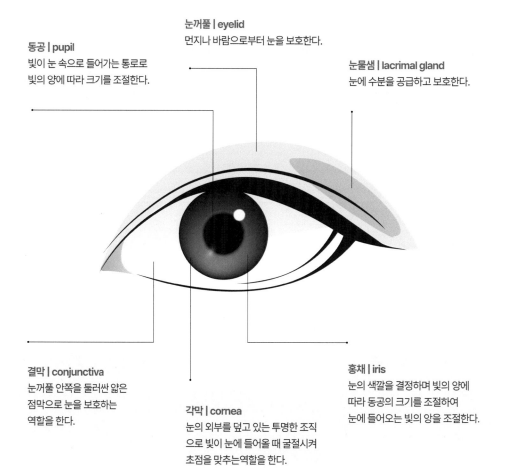

동공 | pupil
빛이 눈 속으로 들어가는 통로로
빛의 양에 따라 크기를 조절한다.

눈꺼풀 | eyelid
먼지나 바람으로부터 눈을 보호한다.

눈물샘 | lacrimal gland
눈에 수분을 공급하고 보호한다.

결막 | conjunctiva
눈꺼풀 안쪽을 둘러싼 얇은
점막으로 눈을 보호하는
역할을 한다.

각막 | cornea
눈의 외부를 덮고 있는 투명한 조직
으로 빛이 눈에 들어올 때 굴절시켜
초점을 맞추는역할을 한다.

홍채 | iris
눈의 색깔을 결정하며 빛의 양에
따라 동공의 크기를 조절하여
눈에 들어오는 빛의 양을 조절한다.

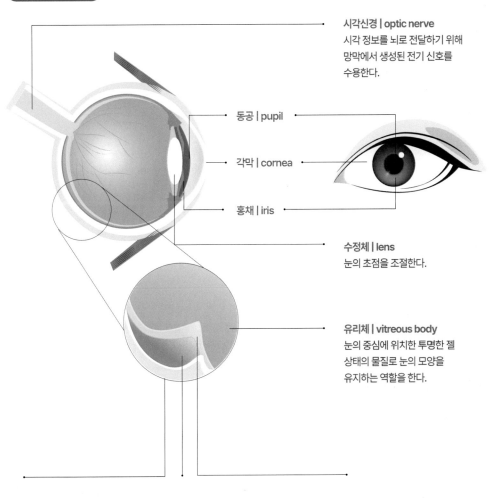

눈의 내부구조

시각신경 | optic nerve
시각 정보를 뇌로 전달하기 위해
망막에서 생성된 전기 신호를
수용한다.

동공 | pupil

각막 | cornea

홍채 | iris

수정체 | lens
눈의 초점을 조절한다.

유리체 | vitreous body
눈의 중심에 위치한 투명한 젤
상태의 물질로 눈의 모양을
유지하는 역할을 한다.

공막 | sclera
공막은 눈의 외부를 덮고 있는 밀도
높은 섬유 구조물로 눈을 보호하고
형태를 유지한다.

맥락막 | choroid
공막과 망막 사이에 위치하며
멜라닌 세포가 풍부한 얇은
막으로 색이 짙다.

망막 | retina
빛을 감지하여 전기신호로
전환 후 시각 정보를 신경으로
전달한다.

2. 속눈썹의 구조와 기능

모근부

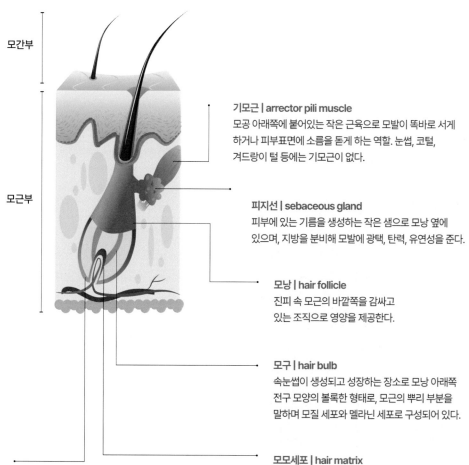

모간부

모근부

기모근 | arrector pili muscle
모공 아래쪽에 붙어있는 작은 근육으로 모발이 똑바로 서게
하거나 피부표면에 소름을 돋게 하는 역할. 눈썹, 코털,
겨드랑이 털 등에는 기모근이 없다.

피지선 | sebaceous gland
피부에 있는 기름을 생성하는 작은 샘으로 모낭 옆에
있으며, 지방을 분비해 모발에 광택, 탄력, 유연성을 준다.

모낭 | hair follicle
진피 속 모근의 바깥쪽을 감싸고
있는 조직으로 영양을 제공한다.

모구 | hair bulb
속눈썹이 생성되고 성장하는 장소로 모낭 아래쪽
전구 모양의 볼록한 형태로, 모근의 뿌리 부분을
말하며 모질 세포와 멜라닌 세포로 구성되어 있다.

모모세포 | hair matrix
케라틴 단백질 합성세포인 '케라티노사이트
(keratinocyte)' 와 모발 색을 나타내는 '멜라노 사
이트 (mealnocyte)' 로 이뤄져있으며 이런 세포들
은 성장기에 세포 분열을 통해 모발을 생성한다.

모유두 | hair papilla
모구 부분의 바닥이 들어간 부분으로 모세혈관으로부터
공급받은 영양분을 모모세포에 전달한다.

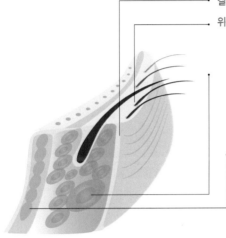

결막

위눈꺼풀

눈둘레근 | orbicularis oculi
안륜근이라고도 하며 눈 주변을 둘러싸고 있는 얼굴 근육으로
눈꺼풀을 닫아 각막의 건조함을 막아준다.

마이봄샘 | meibomian
눈꺼풀 안쪽 가장자리를 따라 일렬로 있는 기름샘으로
눈꺼풀에서 지방을 분비하여 막을 형성해 눈의 습도를
유지하고 외부 자극으로부터 보호한다.

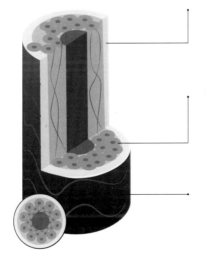

모수질 | medulla
모발의 중심부로 공기가 포함되어 있다. 솜털같은 연모에는
존재하지 않으며 굵은 모발에만 존재한다.

모피질 | cortex
모수질과 모표피 사이에 섬유 모양으로 구성되어 모발에
80%~90%를 차지한다. 멜라닌 색소가 포함되어 있어
모발의 색상, 강도, 탄력, 질감 등을 결정한다.

모표피 | cuticle
모발의 가장 바깥층으로 모발의 10~15%를 차지하며
비늘형태로 되어 있으며 외부자극으로부터 모발의 내부를
보호하며 습윤성 및 광택을 결정한다.

3. 속눈썹 관련 질환

안검염

[정상눈]

[안검염]

첩모난생

[정상눈]

[첩모난생]

첩모중생

[정상눈]

[첩모중생]

안검염 | blepharitis
속눈썹 뿌리를 포함하여 눈꺼풀 가장자리의 염증을 일으키는 만성질환이다. 안검염은 속눈썹에 딱딱하거나 기름기가 많은 비늘, 붓기 및 자극을 유발할 수 있다. 속눈썹이 빠지거나 비정상적으로 자라는 원인이 되기도 한다.

부안검, 덧눈꺼풀 | epiblepharon
눈꺼풀의 이상으로 속눈썹이 각막 또는 결막에 닿아 자극 및 손상을 일으킨다.

첩모난생, 눈썹난생증 | trichiasis
속눈썹이 바깥쪽이 아니라 눈을 향해 안쪽으로 자라는 상태이며 이로 인해 속눈썹이 각막에 닿아 염증이나 장애를 초래할 수 있다.

첩모중생, 두줄속눈썹 | distichiasis
마이봄샘에서 속눈썹이 자라는 질환으로 속눈썹이 자라면서 각막에 자극과 손상을 일으킨다.

첩모탈락증, 속눈썹탈락증 | madarosis
속눈썹이 빠지거나 성장을 멈추는 상태로 약물 및 눈꺼풀의 외상을 포함한 다양한 요인에 의해 발생한다.

속눈썹 진드기 | eyelash mites
속눈썹의 모낭에 사는 작은 진드기로 일반적으로 무해하지만 어떤 경우에는 염증, 가려움증 및 눈꺼풀 자극을 유발할 수 있다.

외맥립종, 다래끼
속눈썹의 모근부에 있는 지선이 세균에 감염되어 화농한 것이다.

✦ **속눈썹에 문제가 생기면 안과나 피부과를 찾아 적절한 진단과 치료를 받는 것이 중요하다.**

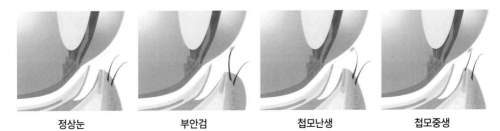

| 정상눈 | 부안검 | 첩모난생 | 첩모중생 |

03 속눈썹의 성장 주기

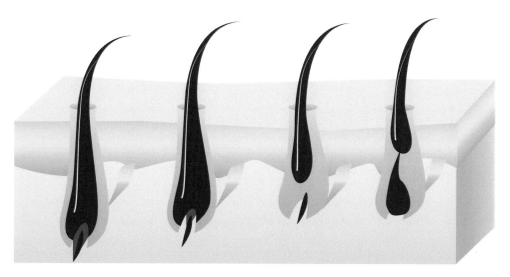

성장기 | anagen   퇴행기 | catagen   휴지기 | telogen   발생기 | return to anagen

성장기 | anagen
모근이 형성되고 모낭에서 속눈썹이 활발하게 성장하는 시기.
약 30~45일 동안 지속되지만 개인에 따라 더 길거나 더 짧을 수 있다.

퇴행기 | catagen
모낭이 수축하고 혈액공급에서 분리되어 모발 성장을 늦추는 시기.
약 2~4주 동안 지속된다.

휴지기 | telogen
모낭이 휴면 상태가 되어 속눈썹이 더 이상 자라지 않으며 자연적으로 빠지는 시기.
새로운 성장 주기가 시작되기 전 약 3~9개월 동안 지속된다.

발생기 | return to anagen
속피부 내에서 성장이 시작되며 솜털처럼 얇고 탄력이 없는 시기.

✦ **탈모** ──────── 하루에 1~2개씩 자연탈모
이상탈모일 경우, 약 7~8주(약 2개월) 지나야 다시 생성

✦ **두께** ──────── 보통 0.1~0.15mm
(속눈썹이 약한 경우 0.07mm 정도)

✦ **성장** ──────── 약 3~4개월
하루에 약 0.07~0.1mm

✦ **길이** ──────── 속눈썹이 짧은 경우 → 약 5~7mm
속눈썹이 길 경우 → 약 8~12mm

✦ **개수** ──────── 위 눈꺼풀 → 약 120~180개
아래 눈꺼풀 → 약 60~120개
총 속눈썹 수 → 약 180~300개

모든 속눈썹은 동시에 같은 성장 단계에 있지 않다. 이것이 일반적으로 한번에 모든 속눈썹을 잃지 않는 이유이며 각각의 속눈썹은 독립적인 자체 성장 주기를 거친다. 또한 나이, 유전 및 건강 등과 같은 특정 요인은 성장 주기에 영향을 미쳐 속눈썹의 길이, 두께 및 전체적인 외관에 잠재적인 영향을 줄 수 있다.

04 속눈썹의 연장 개요

before   after

✦ 속눈썹 연장

속눈썹 연장은 합성 섬유나 밍크 또는 인모로 만든 가속눈썹을 자연 속눈썹에 접착하여 더 길고 풍성한 속눈썹을 연출하는 미용 시술이다. 클래식, 볼륨 및 하이브리드 등을 포함하여 다양한 스타일의 속눈썹 연장 방법이 있다. 클래식 속눈썹 연장은 각각의 자연 속눈썹에 하나의 가속눈썹을 부착하는 반면, 볼륨 속눈썹은 각 자연 속눈썹에 여러 개의 가속눈썹을 부착하여 더 풍성하고 드라마틱한 모습을 연출한다. 하이브리드 속눈썹 연장은 클래식 스타일과 볼륨 스타일의 요소를 결합하여 맞춤화된 스타일을 연출한다.

before   after

✦ 속눈썹 연장 시술과정

1. 원하는 스타일의 종류를 선택한 후 그에 맞는 속눈썹 연장 재료를 준비한다.

2. 핀셋과 미용 접착제를 사용하여 가속눈썹을 자연 속눈썹에 부착한다.

3. 적용되는 속눈썹의 수에 따라 이 과정은 1시간에서 2시간까지 걸릴 수 있다.

✦ 속눈썹 연장의 장점

1. 바쁜 일상 속에서 매일 화장하는 시간을 절약할 수 있다.

2. 숱이 적거나 얇고 짧은 속눈썹을 가진 사람들에게 풍성하고 또렷하고 선명한 모습을 연출할 수 있다.

3. 길이, 컬, 두께 등 개인 취향과 목적에 맞게 시술이 가능하다.

4. 적절한 관리와 유지 보수를 통해 몇 주 동안 지속될 수 있다.

속눈썹 연장에는 알레르기 반응의 위험, 잘못된 시술로 인한 속눈썹 손상, 유지에 필요한 비용과 시간 등 몇 가지 잠재적인 단점이 있다는 점에 유의해야 하며 이러한 단점을 최소화 하려면 자격증을 소지하고 경험이 풍부한 기술자와 상담하고 적절한 사후 관리 지침을 따르는 것이 중요하다.

05 속눈썹 미용 역사

고대 이집트에서는 여성들이 눈을 더 매력적으로 보이기
위해 콜 (kohl)을 눈에 바르기도 했다.

로마 여성들은 사슴 뿔에서 나온 가늘고 미세한 실을
사용하여 속눈썹을 만들었다고 전해진다.

중세 시대는 얼굴 중 가장 아름다운 부위로 여겼던 이마
를 강조하기 위해 많은 여성들은 눈썹과 속눈썹을 제거하
기도 했다.

엘리자베스 여왕이 왕위에 올랐을 때 붉은 황금색 머리가
유행을 하면서 머리카락과 속눈썹을 같은 색으로 염색을
하면서 색상을 일치시켰다.

1902년 Karl Nessler이 영국에서 인공 속눈썹과 눈썹을 제작하는 특허를 취득하여 런던에서 인
조 속눈썹을 판매하기 시작했고, 1911년 미국에서도 Canadian Anna Taylor에 의해 인조 속눈썹
이 판매되기 시작했다. 20세기에 속눈썹 연장이 영화 산업, 특히 할리우드레서 더 인기를 끌었다.

속눈썹 연장은 오래 전부터 여성들 사이에서 인기가 있었으나 실제로 속눈썹 연장이 언제부터 시작 되었는지는 정확히 알려지지 않았다. 일부 기록에 따르면 속눈썹 연장은 고대 이집트와 로마에서 시작되었다고 한다.

1916년, 메이크업 아티스트 칼리팔머는 영화배우 세시리 베이커의 눈썹을 강조하기 위해 인조 속눈썹을 만들었다.

1920년대에 영화 감독 D.W Griffth는 사람의 머리카락으로 인조 속눈썹을 만들어 Owen의 속눈썹에 붙였다.

1950년대와 1960년대에는 마릴린먼로, 오드리햅번과 같은 여배우들에 의해 유행하면서 인조 속눈썹은 패션 업계에서 런웨이 쇼와 사진 촬영에도 사용되었다.

속눈썹 연장의 현대적 기술은 1990년대 일본에서 처음 개발되었으며, 특수 접착제를 사용해 자연 속눈썹에 개별 인조 속눈썹을 붙이는 방법을 개발했다.

최근에는 인공지능과 기계학습을 이용한 로봇 속눈썹 연장 시스템, 자외선 특수 접착제와 LED 램프를 이용한 LED 연장술 등이 개발되었다. 오늘날 속눈썹 연장은 전 세계적으로 보편적인 미용으로 자리잡으며, 숙련된 전문가들에 의해 샵에서 다양한 길이, 두께 및 스타일로 목적에 맞춰 시술 가능하게 되었다.

06 속눈썹 연장 재료

가모
속눈썹을 연장하기 위해 붙이는 안 올에서 여러 올로 분리 되어있는 다양한 길이와 두께,
컬로 구성된 인조 섬유로 만든 가속눈썹이다.

핀셋
속눈썹을 가르고 가모를 붙이는 작업을 하는 도구이다.

미용 접착제
속눈썹 한 올 한 올에 가모를 붙이는 접착제로 글루로 칭하기도 한다.

전처리제
가모를 붙이기 전 단백질, 이물질, 유분기 등을 제거하여 글루의 접착력과 유지력을
높여준다.

글루 플레이트
글루를 소량 덜어서 쓸 때 사용하며 크리스탈이나 옥돌은 차가운 성질이 있어 글루가
굳는 속도가 느려진다. 글루시트를 부착해 사용하면 깔끔하다.

아이패치
핀셋, 글루와의 눈 밑 보호를 위해 사용하며 아랫속눈썹 위에 붙여 윗속눈썹과 붙지 않게 한다.

속눈썹 연장 리무버
연장되어 있는 가속눈썹을 제거할 때 사용한다.

래쉬 샴푸
속눈썹과 속눈썹 사이의 이물질을 제거하기 위해 사용하는 속눈썹 전용 샴푸이다.

아이 메이크업 리무버
시술 전 메이크업을 지워 유분기를 최소화 한다.

송풍기
속눈썹 시술 후 글루가 마르도록 바람을 불어준다.

✦ **이 외 부재료**

의료용 테이프, 물티슈, 미용티슈, 면봉, 인공눈물 등

브러쉬   글루 시트   의료용 테이프   글루 링

07 가속눈썹

1. 소재

✦ 플라스틱

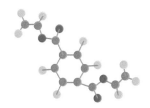

전기, 전자, 자동차, 의료기기 등 다양한 산업에서 사용되고 있는 PBT는 "Polybutylene Terephthalate"의 약자로 밍크모, 실크모, 벨벳모, 플랫모 등의 천연모를 제외한 대부분의 가속눈썹의 원재료로 사용되고 있다. PBT는 유연성이 뛰어나서 가공이 쉽고 내열성이 강해 높은 열에 안정성을 가지며 내구성이 우수하여 오래 지속되고 견고하다.

✦ 천연모

동물의 털이나 사람의 머리카락으로 만든 70~80%가 단백질로 이루어진 연장용 속눈썹으로 속눈썹 연장 글루가 플라스틱보다 단백질에 잘 붙기 때문에 접착력 및 유지력이 더 뛰어나다. 천연모는 플라스틱 소재의 가모처럼 다양한 굵기로 제작이 되지 않으며 컬과 길이가 균일하지 않지만 가볍고 부드러워서 이질감이 없으며 자연스러운 속눈썹 연장을 선호하는 고객에게 적합하다.

2. 형태

✦ 일반모

동그란 모양의 가속눈썹이다.

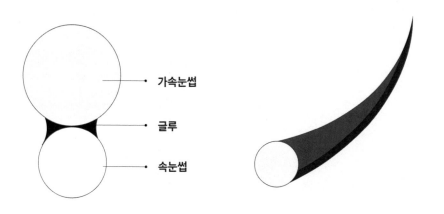

- 가속눈썹
- 글루
- 속눈썹

✦ 플랫모

땅콩 또는 리본 모양으로 접착 면적이 넓고 가벼워 유지력이 뛰어나고 호 끝부분이 갈라져 있어 자연스럽다.

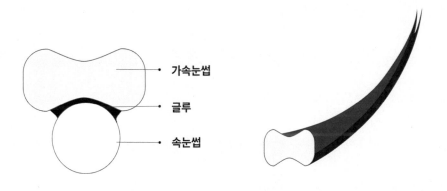

- 가속눈썹
- 글루
- 속눈썹

3. 호 가공

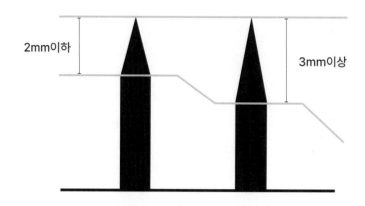

2mm이하

3mm이상

✦ 얕은 가공

유광의 단단한 질감으로 진하고 선명한 느낌을 표현한다.

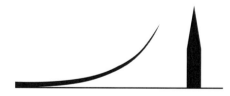

✦ 깊은 가공

호를 길고 가늘게 가공하여 자연스럽고 부드러운
곡선의 느낌을 표현한다.

4. 컬

각각의 컬은 눈의 크기와 길이를 고려하고 어떻게 디자인하는지에 따라 완성된 연장은 모양에 차이가 있다. 따라서 개인의 취향과 얼굴 형태, 눈 모양에 따라 적절한 속눈썹 연장 디자인을 선택한다. 모든 컬이 동일한 유지력을 가지는 것은 아니며 가모의 컬이 강할수록 속눈썹과의 접착 면적이 적어지므로 각 컬에 맞는 적절한 테크닉을 사용하여 부착하거나 가모의 두께를 조절하여 유지력을 보완한다.

[자연스럽게 올라간 컬]

J컬
자연스러운 곡선으로
눈끝 부분이 살짝 올라간다.

JC, B,R컬
J컬과 C컬의 중간 컬로
자연스럽게 올라간다.

[둥글게 올라간 컬]

C컬
속눈썹 컬이 굵게 올라가는
가장 인기있는 컬이다.

CC,D컬
C컬에 비해 더욱 강한 컬링을
가지며 눈을 크고 또렷하게
해준다.

U컬
속눈썹이 가장 위로 향한
컬링으로 눈이 강조되며
크게 보이게 한다.

[꺾여 올라간 컬]

L
무쌍이나 외꺼풀, 눈두덩
이가 쳐지거나 깊은 눈을
보완해준다.

L+컬
무쌍이나 외꺼풀, 눈두덩
이가 쳐지거나 깊은 눈을
보완해준다.

5. 두께

고객의 속눈썹에 비해 너무 두꺼운 가모로 시술할 경우 무리가 되거나 유지력이 감소할 수 있으므로 적절한 두께를 결정한다.

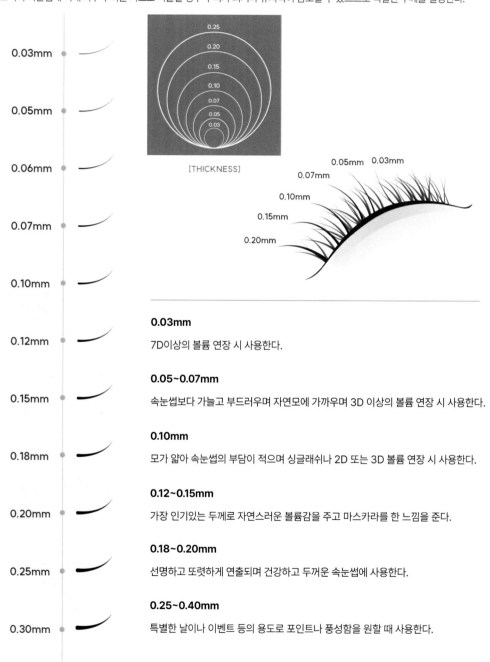

[THICKNESS]

0.03mm
7D이상의 볼륨 연장 시 사용한다.

0.05~0.07mm
속눈썹보다 가늘고 부드러우며 자연모에 가까우며 3D 이상의 볼륨 연장 시 사용한다.

0.10mm
모가 얇아 속눈썹의 부담이 적으며 싱글래쉬나 2D 또는 3D 볼륨 연장 시 사용한다.

0.12~0.15mm
가장 인기있는 두께로 자연스러운 볼륨감을 주고 마스카라를 한 느낌을 준다.

0.18~0.20mm
선명하고 또렷하게 연출되며 건강하고 두꺼운 속눈썹에 사용한다.

0.25~0.40mm
특별한 날이나 이벤트 등의 용도로 포인트나 풍성함을 원할 때 사용한다.

6. 길이

가모가 속눈썹에 비해 너무 길면 유지력이 줄어들 수 있다. 쌍커풀이 없거나 처진 눈꺼풀인 경우 눈을 떴을 때 속눈썹이 눈꺼풀 아래로 가려지므로 길이 선택에 유의한다. 강한 컬의 경우 약한 컬에 비해 길이가 짧아 보이므로 사용하는 컬에 따라 속눈썹 길이를 선택한다.

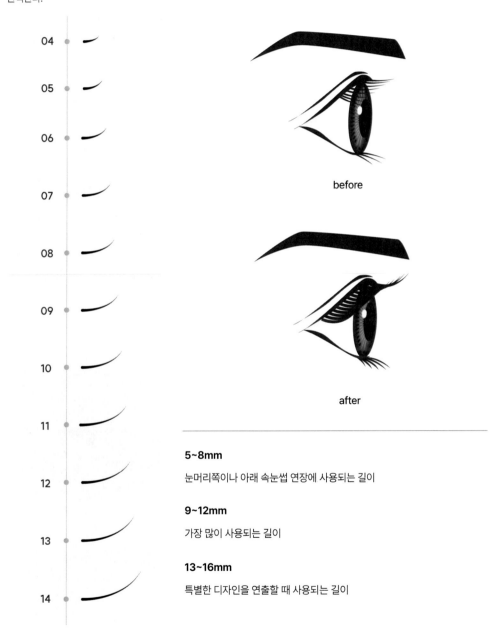

before

after

5~8mm
눈머리쪽이나 아래 속눈썹 연장에 사용되는 길이

9~12mm
가장 많이 사용되는 길이

13~16mm
특별한 디자인을 연출할 때 사용되는 길이

27

7. 숱

2D   3D   4D   5D   6D   7D   8D   9D   10D

볼륨 연장은 매우 얇은 가속눈썹을 사용하며 속눈썹 하나에 가속눈썹 하나를 붙이는 싱글 연장과는 달리 속눈썹 하나에 여러 개의 가속눈썹을 붙이는 것으로 풍성하고 진한 눈매를 연출한다.

2D, 3D, 5D, ~20D의 'D'는 Dimension의 약자이며 하나의 볼륨 팬(Fan)에 사용된 연장 가닥 수를 의미한다. 기성품으로 나온 프리메이드 팬(Fan)을 사용하거나 직접 핸드메이드 팬(Fan)을 만들어 연장하는 두가지 시술방법이 있다.

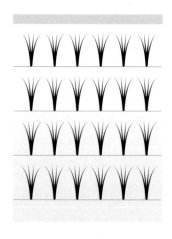

[프리메이드 팬(Fan)]

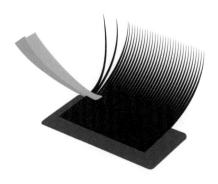

[핸드메이드 팬(Fan)]

8. 기타

컬러 가속눈썹의 경우 다크브라운 계열을 가장 많이 사용하며 이외의 큐빅, 글리터, 장식 등으로 만들어진 가속눈썹은 파티나 축제 등의 특별한 행사에 포인트로 사용한다.

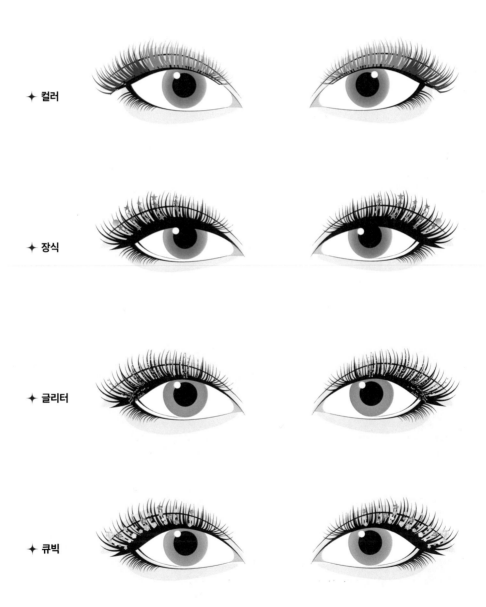

✦ 컬러

✦ 장식

✦ 글리터

✦ 큐빅

9. 보관방법

물기가 없는 건조한 곳에 보관한다.

직사광선이나 습기를 피해서 보관한다.

먼지나 이물질이 닿지 않도록 용기에 보관한다.

눌리지 않는 곳에 보관한다.

속눈썹 연장용 가속눈썹의 대부분은 PBT로 만들어지므로 재료 자체는 유통기한이 없지만 시간이 지남에 따라 속눈썹 컬이 변형될 수 있다.

08 미용 접착제

1. 성분

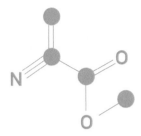

Cyanoacrylate

속눈썹 연장에는 시아노아크릴레이트가 주성분인 접착제가 사용된다. 시아노아크릴레이트는 공기와 접촉하면 공기 중의 수분에 의해 중합반응이 순간적으로 진행되어 고체상태의 고분자 화합물을 만들어 굳으면서 빠르게 고정이 된다. 용기 속 미용 접착제는 액체 상태지만 용기를 개봉해두면 굳는 것이 이 때문이다.

중합반응은 공기와 접촉하는 바깥표면에서부터 안쪽으로 진행되므로 얇게 바를수록 접착제 안쪽에서도 수분과 접촉이 되므로 굳는 속도가 빨라진다. 이러한 화합물은 빠르게 건조하여 접착력이 강하고 내구성이 뛰어나서 효과적으로 속눈썹을 연장하는데 사용된다.

하지만 시아노아크릴레이트는 강한 자극성을 가지고 있어서 민감한 피부를 가진 사람이나 눈에 접촉하면 안된다. 또한 잘못 사용하면 눈 주위에 피부 염증이나 눈의 트러블을 일으킬 수 있다. 따라서 속눈썹 연장을 하기 전에는 접착제의 종류와 사용 방법을 숙지하고 주의하여 사용한다.

2. 주의사항

✦ 접착제 사용 전

사용 전 충분히 흔들어준다.

✦ 접착제 사용 중

직각으로 세워서 짠다.

다른 미용 접착제와
섞어 쓰지 않는다

20~30분마다
새로 짜서 사용한다.

✦ 접착제 사용 후

사용한 글루는 노즐을
바로 닦아 깨끗하게 밀봉한다.

3. 보관방법

✦ 접착제 보관 시 최적 조건

보관온도
22도~26도

보관습도
40~60%

✦ 접착제 보관방법

냉장고에 보관하지 않는다.

직사광선을 피해 건조하고
서늘한 곳에 보관한다.

밀봉 후 세워서 보관한다.

4. 접착제 알레르기

✦ **알레르기의 원인** 접착제의 주 성분인 '시아노아크릴레이트'의 중합반응

눈의 표면에는 안구를 보호하기 위한 눈물이 막을 형성

콧구멍에는 비강의 방어 작용을 위해 콧물이 코 점막을 감싸고 있음

시아노아크릴레이트 계열의 접착제가 습도(습기)에 반응하며 경화가 진행되면서 기체가 발생한다.

발생한 기체에 미량의 접착제가 섞여있다.

접착제는 수분에 안착하는 성질이 있어서 물기가 있는 곳에 달라붙어 자극을 주는데 얼굴에서 가장 습기가 많은 부분인 눈과 콧구멍에 영향을 준다.

때문에 속눈썹 연장용 글루 사용 시 눈 시림이 발생하기도 콧물이 나기도 한다. 그 외에 목 안쪽이 따끔하거나 두통을 느끼는 사람들도 있다.

이 알레르기 증상은 고객 및 시술자 모두 겪을 수 있다.

✦ **접착제 자극**

일시적인 눈 따가움과 충혈됨

✦ **접착제 알레르기**

눈두덩이 빨갛게 붓고 간지럽거나 통증이 있음

✦ **잘못된 환경 및 시술**

진물, 다래끼 또는 눈꺼풀의 이물감이나 가려움

접착제가 경화하면서 발생하는 미양의 유해 가스의 경우 24~48시간 안에 완전히 사라진다. 하지만 시술을 진행하기 전 고객의 상태를 체크하기 위한 고객 상담은 필수이며 고객의 면역 상태에 따라 저자극에도 알레르기 발생 가능성을 안내한다.

09 핀셋

1. 종류   미세한 가속눈썹을 쉽게 다룰 수 있도록 얇고 길게 만들어진 도구로 무게가 가볍고 손잡이 부분의
탄성이 좋아야 목에 무리가 없다.

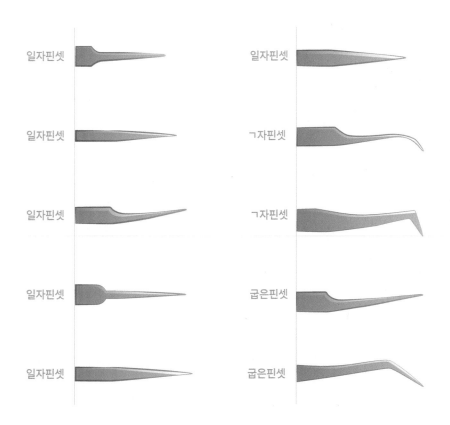

✦ **스테인레스 스틸 재질**

　간편하고 단단한 내구성
　부식 저항력 우수
　완벽한 대칭과 균형을 보장

✦ **티타늄 재질**

　스테인레스제의 약 60%의 무게로 가벼워서
　연속작업에 편리, 높은 내식성
　금속 알레르기에 안전

2. 보관방법

청결 유지

사용 전 소독제를 사용하고
사용 후 소독기에 보관한다.

건조 보관

사용한 후 직사광선이 닿지 않는 서늘하고
건조한 장소에 보관한다.

보호캡 사용

핀셋 끝 부분에 보호캡을 사용하여 핀셋 끝 부분이
다른 물체와 닿지 않도록 주의한다.

3. 금속 알레르기

금속 알레르기는 철, 니켈, 구리, 코발트 등 다양한 금속에 반응하는 피부질환이다.

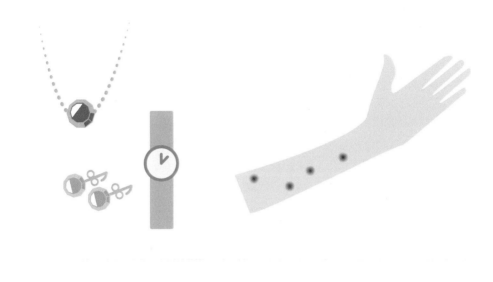

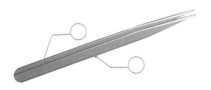

성분확인

핀셋을 사용하기 전 반드시 핀셋의 성분 확인

핀셋종류

알러지 반응이 나타나지 않는 티타늄 재질의
핀셋 사용 추천

10 속눈썹 연장 시술과정

1. 시술자의 자세

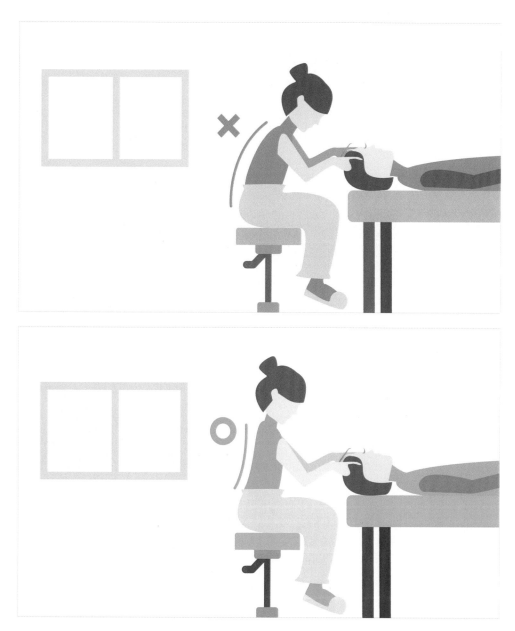

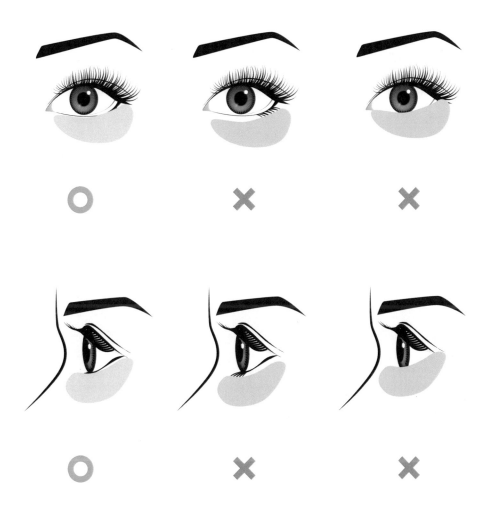

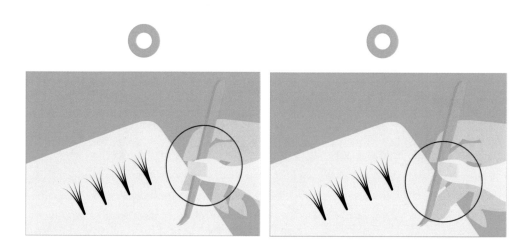

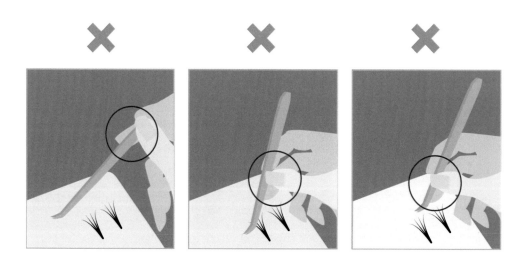

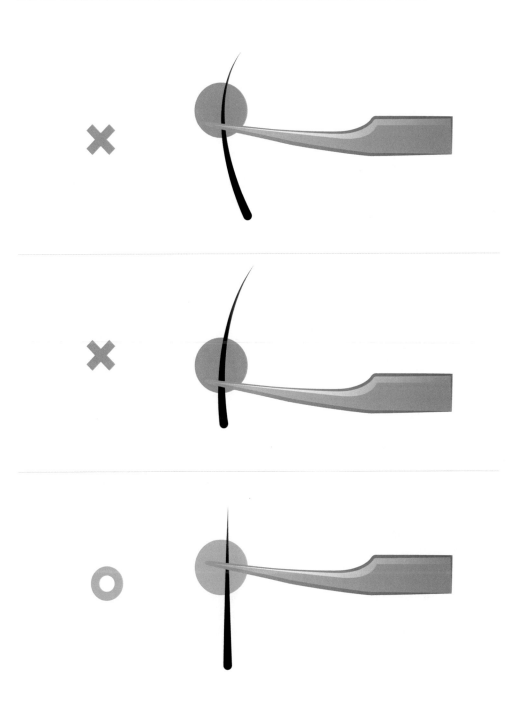

5. 미용 접착제 사용법

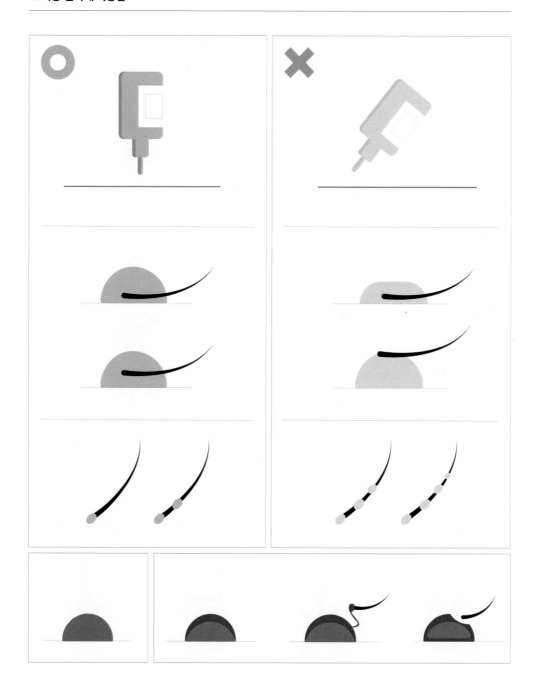

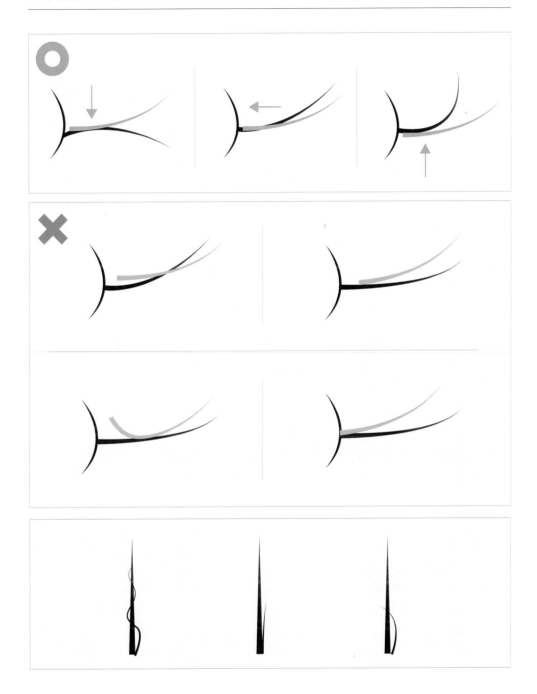

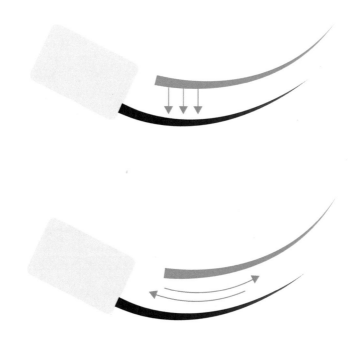

8. 가이드 라인

[1차 가이드라인]

[2차 가이드라인]

[3차 가이드라인]

[4차 가이드라인]

9. 시술 순서

01 유수분기 제거하기

02 아이패치 붙이기

03 가지런히 빗어주기

04 속눈썹 집기

05 글루 묻히기

06 연장하기

07 엉킨곳 없는지 체크하기

08 아이패치 제거하기

09 빗어주기

10 완성

시간 단축 TIP

01

고객 도착 전 준비완료

02

눈머리와 눈꼬리 먼저 시술

03

테이프 활용

04

글루 상태 미리 체크

11 속눈썹 연장 제거

1. 연장모 탈락 과정

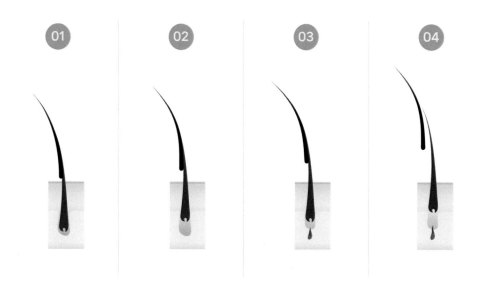

속눈썹 연장은 1:1 모근 보호시술을 받아야 속눈썹의 주기대로 돌아가게 되어 본인의 속눈썹에 손상을 주지 않는다.

2. 속눈썹 연장 리터치

리터치 시기는 최초 연장 시점으로부터 2~3주 후를 권장하며 연장한 속눈썹 중 일부가 떨어지거나 자연스럽게 빠져서 비어 있는 곳을 채운다. 떨어진 속눈썹이 많지 않다면 일반적으로 30분~1시간 정도 소요된다.

before   after

3. 핀셋을 이용한 제거방법

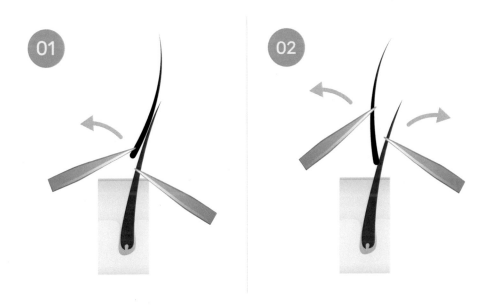

4. 전용 리무버를 이용한 제거 방법

✦ **방법 1**

01

크림타입의 리무버,
아이패치, 면봉 준비하기

02

아이패치 붙이기

03

면봉으로 크림리무버 도포하기

04

1~3분 동안 기다리기

05

면봉으로 가볍게
문지르며 떼어내기

06

물에 적신 면봉이나 물티슈로
잔여 제거 후 마무리하기

✦ **방법 2**

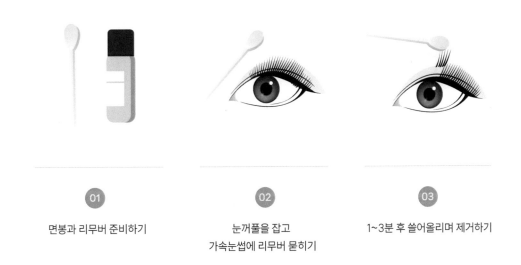

01

면봉과 리무버 준비하기

02

눈꺼풀을 잡고
가속눈썹에 리무버 묻히기

03

1~3분 후 쓸어올리며 제거하기

*주의사항

눈에 들어가지 않게 주의한다.

잔여물이 남지 않게 제거한다.

소량씩 도포하며 사용한다.

12 속눈썹 연장 디자인

1. 눈매유형

Hooded Eyes
눈두덩이 두꺼운 눈

(Doll)

Monolid Eyes
외꺼풀

(Natural, Doll, Cat, Squirrel)

Round Eyes
동그란 눈

(Cat, Squirrel)

Almond Eyes
가로 길이가 긴 눈

(Natural, Doll, Cat, Squirrel)

Protruding Eyes 돌출형 눈

(Basic)

Deep Set Eyes 깊은 눈

(Doll)

Close set Eyes 눈 사이가 가까운 눈

(Cat, Squirrel)

Wils set Eyes 눈 사이가 먼 눈

(Natural, Doll)

Upturned Eyes 눈꼬리가 올라간 눈

(Basic, Natural, Doll)

Downturned Eyes 눈꼬리가 내려간 눈

(Natural, Doll)

2. 디자인의 종류

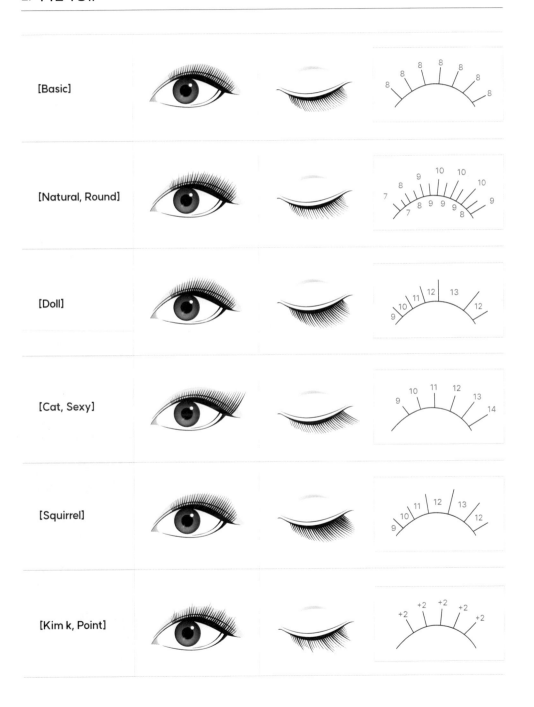

[Basic]			
[Natural, Round]			
[Doll]			
[Cat, Sexy]			
[Squirrel]			
[Kim k, Point]			

13 볼륨래쉬 연장

Classic   2D   3D   4D   5D   6D

[CLASSIC]

[HYBRID]

[VOLUME]

[MEGAVOLUME]

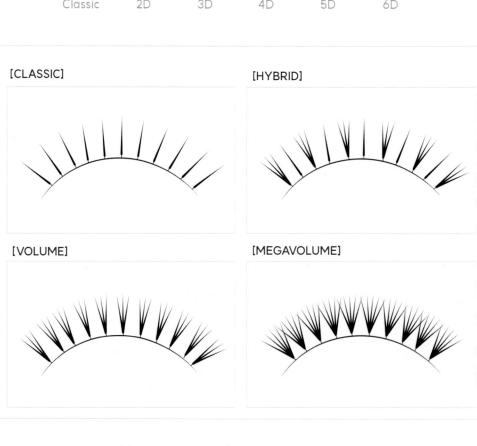

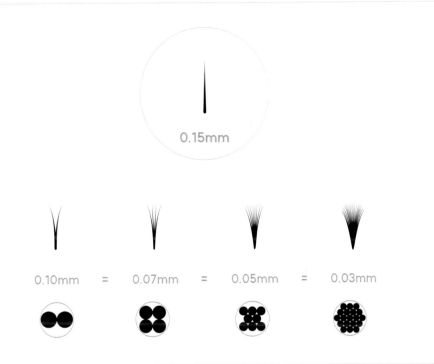

<4가지 모두 동일한 무게>

볼륨 연장을 할 때 가모의 두께 (지름)와 무게 관계에 대해 이해하고 숙지한다.
여러 가닥을 붙여도 눈에 부담을 덜 주는 이유는 아래와 같다.

ex) 0.10mm 2개 ≠ 0.20mm 1개

0.10mm 2개 < 0.20mm 1개

0.10mm 속눈썹 2개를 나란히 배치하면 0.20mm 1개에 비해 주변에 공간이 남으며
그 만큼의 무게 차이가 나게 된다.

0.05mm 15개 < 0.20mm 1개

14 속눈썹의 단차 줄이기

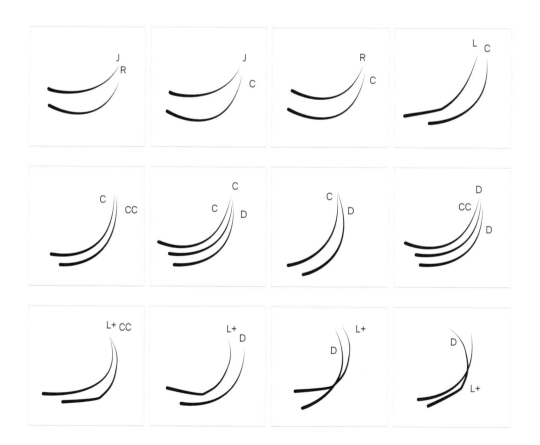

15 속눈썹 연장 시 주의사항

1. 속눈썹 연장 전 주의사항

✦ 시술자

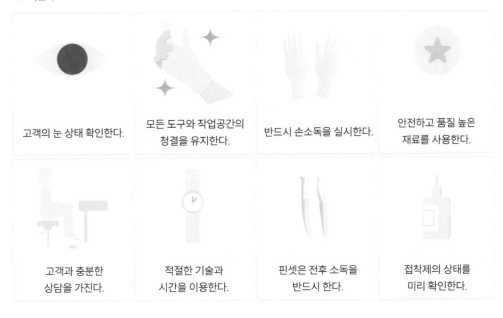

고객의 눈 상태 확인한다.

모든 도구와 작업공간의 청결을 유지한다.

반드시 손소독을 실시한다.

안전하고 품질 높은 재료를 사용한다.

고객과 충분한 상담을 가진다.

적절한 기술과 시간을 이용한다.

핀셋은 전후 소독을 반드시 한다.

접착제의 상태를 미리 확인한다.

✦ 고객

눈 주변에 오일리한 화장품의 사용을 자제한다.

라식/라섹 수술을 한 경우 최소 3개월 이후 시술한다.

마스카라나 뷰러를 하지 않은 상태로 방문한다.

눈 성형 시술 후 최소한 1개월 이후 시술한다.

2. 속눈썹 연장 중 주의사항

✦ **시술자**

01
핀셋이 날카로우니
항상 조심한다.

02
접착제가 옷이나 머리에
묻지 않도록 한다.

03
고객의 이마나 코를
세게 누르지 않는다.

04
접착제가 절대 눈에 들어가지 않도록 주의한다.

05
연장용 아이패치는 눈에 닿지 않게 한다.

✦ **고객**

핸드폰은 진동으로 해둔다.

갑자기 눈을 뜨지 않는다.

몸을 크게 움직이거나
고개를 흔들지 않는다.

3. 속눈썹 연장 후 주의사항

✦ 시술자

연장 후 충분히 건조시킨다.

엉키거나 붙은 것이
없는지 체크한다.

시술 후 관리 치침을 제공한다.

✦ 고객

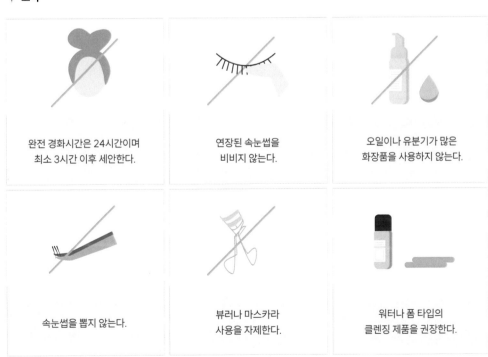

완전 경화시간은 24시간이며
최소 3시간 이후 세안한다.

연장된 속눈썹을
비비지 않는다.

오일이나 유분기가 많은
화장품을 사용하지 않는다.

속눈썹을 뽑지 않는다.

뷰러나 마스카라
사용을 자제한다.

워터나 폼 타입의
클렌징 제품을 권장한다.

16 영양제

✦ 영양제의 목적

- 잘못된 시술이나 오프방식으로 손상된 속눈썹
- 잘 빠지거나 푸석푸석하고 탄력이 없는 속눈썹
- 강제로 떼어내어 큐티클이 손상된 속눈썹
- 숱이 부족하거나 옅은 속눈썹

✦ 영양제의 타입

마스카라 타입 (모간부)
자라고 있는 속눈썹 바깥쪽 큐티클 부분을 보호
코팅하고 상처 복원

아이라이너, 볼타입 (모근부)
모근에 영양을 주고 탈모 방지

✦ 영양제의 효과

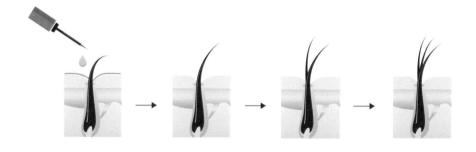

눈과 속눈썹 건강을 지키는 가장 좋은 방법은 속눈썹을 자연스럽게 관리하는 것이다. 속눈썹 등 털은 단백질 성분 중의 하나인 케라틴으로 구성되어 있어 두부, 계란, 콩 등 단백질로 이뤄진 음식물 섭취를 충분히 해주면 속눈썹 건강에 도움이 된다.

또한 속눈썹이 자외선, 마스카라 등에 의해 손상돼 잘 빠지거나 가늘어지면 속눈썹 영양제를 바르는 것도 좋다. 속눈썹 영양제는 속눈썹에 펩타이드, 비타민 등 영양분을 공급해 모근 등을 튼튼하게 돕는 화장품이다.

17 시장성 및 전략

속눈썹 연장 산업는 최근 몇 년간 빠르게 성장하고 있다. 특히 여성들이 아름다움에 대한 관심이 높아지면서 속눈썹 연장의 수요가 더욱 증가하고 있으며 이러한 추세는 미래에도 계속될 것으로 예상된다. 이는 속눈썹 연장이 간편하고 빠른 뷰티 솔루션이라는 사실과 속눈썹 연장을 할 수 있는 기술과 제품이 개선되었다는 점 때문이다.

더욱 자연스러운 결과물을 위한 다양한 종류의 인조 속눈썹이 출시되고 있으며, 피부와 눈썹에 민감한 사람들을 위한 접착제도 개발되고 있다. 또한 기존의 속눈썹 연장 기술에 인공지능을 활용하여 더욱 정확한 연장이 가능한 기술도 개발 중이다. 속눈썹 연장 시장의 경쟁이 치열해지고 있기 때문에, 기업들은 고객의 니즈를 충족시키기 위해 더욱 창의적인 전략을 수립해야 한다.

<속눈썹 연장 산업에서 성공하는 것에 필요한 전략>

- 고객의 요구사항을 정확히 파악
- 고객 만족도를 최우선으로 하여 높은 리뷰와 추천으로 이어지는 장기적인 성장에 필수
- 안전하고 신뢰성 있는 고품질 제품 개발
- 고객의 얼굴 형태, 눈의 모양을 고려하여 디자인하는 맞춤형 서비스
- 차별화된 마케팅 전략
- 속눈썹 연장에 대한 정보와 교육을 제공
- 화장품 산업과 융합

18 고객상담

한 사람의 만족은 열 사람 이상의 잠재적인 고객을 낳는다.

성명	생년월일	직업
연락처	주소	

방문경로 □소개 (　　　　　) □블로그　□인스타그램　□검색　□간판　□기타

속눈썹 연장 시술　□유　□무　　**속눈썹 펌 시술**　□유　□무

영양제　□사용전　□사용중　□사용후

고객 체크사항

<체질 및 습관>

알레르기　□비염　□피부알레르기　□기타 (　　　　　　)

안과치료　□결막염　□충혈　□눈다래끼　□기타 (　　　　　　)

간지러움　□유　□무

비비는 습관　□유　□무

<시술 후 주의사항>

□ 시술 후 최소 3시간 이내는 세안을 피한다.

□ 마스카라 또는 뷰러 사용을 금지한다.

□ 사우나, 수영장 등은 가급적이면 피한다.

□ 오일 성분이 없는 클렌징 제품을 사용한다.

□ 눈을 비비거나 속눈썹을 뜯는 행동은 하지 않는다.

<시술 동의서>

□ 시술을 받기 전에는 반드시 건강 상태와 알러지 이력 등을 상세히 알린다.

□ 속눈썹 연장 시술은 일반적으로 안전하나, 시술 시 사용되는 미용접착제나 재료 등으로 인해
　특정한 질환이나 알러지, 일시적인 충혈 등 개인의 건강 상태에 따라 부작용이 발생할 수 있다.

□ 시술 후 발생한 부작용에 대해서는 병원을 가야하는 상황도 생길 수 있으며 이에 따른 책임과 비용은 본인이
　부담해야 한다.

□ 속눈썹 연장 시술의 결과물에 대한 만족도는 개인 차이가 있을 수 있다.

□ 명시되어 있는 주의사항을 확인했으며 이를 준수한다.

본인은 위와 같은 내용을 충분히 이해하였으며, 속눈썹 연장 시술 동의서를 직접 작성했음을 확인한다.

서명: _____

날짜: _____

시술자 체크사항

<속눈썹>

방향		두께		길이	
□하향		□0.10mm이상	0.10mm 0.12mm 0.15mm 0.20mm	□9mm이상	09 10 11 12 13 14
□수직		□0.07~0.10mm	0.07mm 0.10mm	□6~8mm	06 07 08
□상향		□0.07mm이하	0.05mm 0.07mm	□5mm이하	05

<눈매>

눈의 가로	눈의 세로	눈의 방향	눈과 눈사이	쌍커풀	눈꼬리
□길다	□길다	□나옴	□멀다	□있음	□올라간
□보통	□보통	□보통	□보통	□덮임	□보통
□짧다	□짧다	□들어감	□가깝다	□없음	□내려간

<디자인>

날짜	디자인	메모	날짜	디자인	메모
		□컬 □길이 □두께			□컬 □길이 □두께
		□컬 □길이 □두께			□컬 □길이 □두께
날짜	디자인	메모	날짜	디자인	메모
		□컬 □길이 □두께			□컬 □길이 □두께
		□컬 □길이 □두께			□컬 □길이 □두께

날짜	시술 정보	금액	메모

Step2		date		name	

J	B / JC / R	C	CC / D

Step1	date	name

	J	B / JC / R	C	CC / D

8mm

9mm

9mm

10mm

10mm

10mm

11mm

11mm

11mm

12mm

12mm

Step3	date	name

left	right

memo.

memo.

memo.

memo.

memo.

Step4	date	name

left	right

memo.

memo.

memo.

memo.

memo.

Step5	date	name

left	right

memo.

memo.

memo.

memo.

memo.

Step6	date	name

left	right

memo.

memo.

memo.

memo.

memo.

Step7	date	name

Baby doll

Kitten

Cat eye

Open eye

Natural